죠죠례은

문학동네

volume
15 돌로미테의 푸른 산호초

죠 죠 링

JoJolion ★★★★★ ★

죠죠의 기묘한 모험 *Part 8*
Jojo's bizarre adventure

 아라키 히로히코
Hirohiko Araki & Lucky Land Communications

★★★★ Jojo's bizarre adventure, part 8 *★★★★* JoJolion *★*

모리오초 인물 소개

히가시카타 죠스케(추정 19세)

'벽의 눈'에서 발견된 신원 불명의 청년. 어깨에 별 모양의 반점이 있다. 히가시카타가에 거둬져 '죠스케'라는 이름을 받는다. 죽은 키라 요시카게의 육체와 일부 융합한 '쿠죠 죠세후미'였음이 판명됐다. 기억은 아직 돌아오지 않았다.

히로세 야스호(19)

모리오초에 사는 대학생. '벽의 눈'에서 우연히 발견한 죠스케의 신원을 알아내고자 행동을 함께 한다.

쿠죠 죠세후미(19)

어렸을 적 키라의 어머니 홀리에 의해 목숨을 건진 청년. 홀리를 위해 로카카카를 훔친다는 키라의 계획에 협력했다.

키라가 죽음의 문턱에서 로카카카를 먹은 결과, 몸의 일부가 죠세후미와 융합

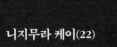

키 라 家

키라 홀리 죠스타(52)

키라 요시카게의 어머니. TG대 병원에 입원중.

키라 요시테루

키라 요시카게(29)

어머니의 병을 낫게 하기 위해 로카카카의 가지를 바위 인간에게서 훔쳤지만, 나중에 그 사실이 발각되어 살해당했다. 직업은 선의⋯⋯

니지무라 케이(22)

키라 요시카게의 여동생. 히가시카타가의 비밀을 알아내기 위해 가정부인 척 숨어들었다.

히가시카타家

히가시카타 카토(52)

히가시카타 노리스케(59)

노리스케의 전처이자 죠빈 남매의 어머니. 살인죄로 15년간 복역했다.

히가시카타가의 가장. 히가시카타 청과의 제4대 점주.

히가시카타 다이야(16)

히가시카타가의 차녀. 죠스케를 좋아한다.

히가시카타 죠슈(18)

히가시카타가의 차남. 야스호의 소꿉친구로 같은 대학에 다닌다. 야스호를 좋아한다.

히가시카타 하토(24)

히가시카타가의 장녀. 모델.

지난 줄거리

등가교환의 효과를 가진 과일 '로카카카'를 둘러싼 바위 인간들과의 싸움 끝에, 죠스케가 '키라와 융합한 쿠죠 죠세후미'라는 사실이 밝혀졌다! 여전히 기억은 돌아오지 않았지만, 홀리의 병세가 악화되어간다는 것을 알고 죠스케는 로카카카로 그녀를 구하겠다고 굳게 다짐한다. 허나 과거 죠세후미와 키라가 접목시켜 기른 로카카카의 가지는 지진의 영향으로 행방을 알 수 없게 되었는데… 한편 살인죄로 15년간 복역하던 히가시카타가의 엄마 '카토'가 출소한다. 그녀의 갑작스러운 등장에 히가시카타가 일동은 당황하는데…

히가시카타 미츠바(31)

장남 죠빈의 아내.

히가시카타 죠빈(32)

히가시카타가의 장남. 매일매일이 여름방학인 것처럼 사는 타입.

히가시카타 츠루기(9)

장남 죠빈과 미츠바의 아들. 액막이를 위해 여자애 차림으로 지내고 있다.

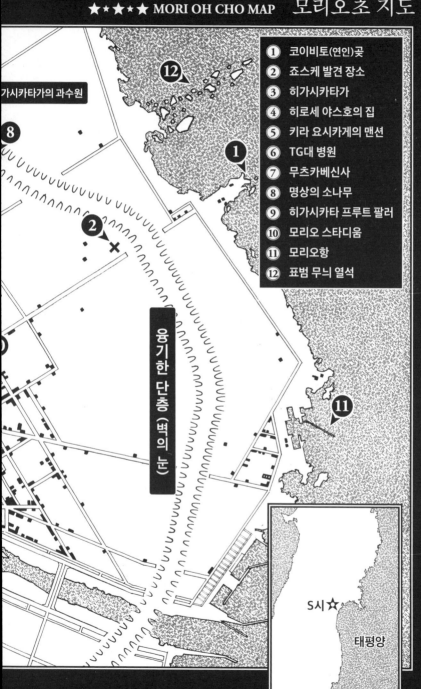

★★★★ MORI OH CHO MAP　모리오초 지도

1　코이비토(연인)곶
2　죠스케 발견 장소
3　히가시카타가
4　히로세 야스호의 집
5　키라 요시카게의 맨션
6　TG대 병원
7　무츠카베신사
8　명상의 소나무
9　히가시카타 프루트 팔러
10　모리오 스타디움
11　모리오항
12　표범 무늬 열석

가시카타가의 과수원

융기한 단층 (벽의 눈)

S시☆

태평양

산책로
(도랑)

이치오강

S시 중심부

차례★
돌로미테의 푸른 산호초

volume
15

#059
돌로미테의 푸른 산호초 ①

술렁술렁 술렁   술렁술렁 술렁술렁 술렁

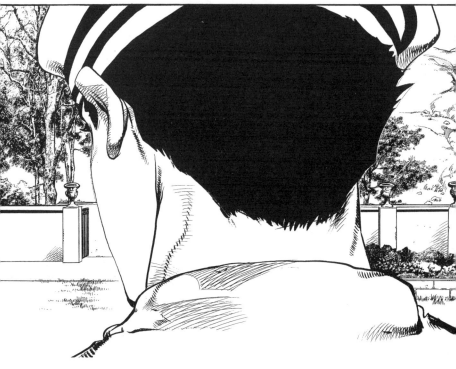

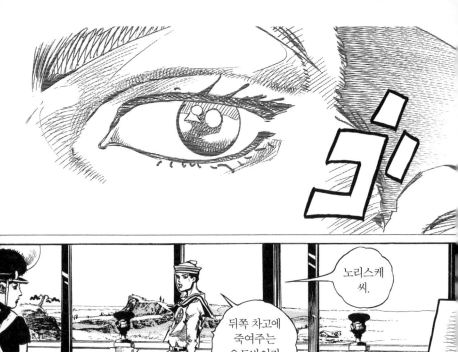

동쪽
카메라…
'벽의 눈'
방향.

과수원 숲으로
통하는 계단의
영상이에요.

어두워서
안 보이
시나요?
여기
예요…

여기.

음!

스윽

찌익

말도 안 돼,
그럴 리가…

부지 내에서
'로카카카의 가지'를
찾고 있어요.

그 팀이
전부였다고!

다모
타마키에게
다른 "동료"가
있다고 보긴
어려워!

다모 타마키가
보스였고!
놈이 마지막
이었어…!
그놈은 궁지에
몰렸기 때문에
우리집에
온 거야!

아…아냐.
동료가
있을 리 없어.

죠스케… 그후
다모 타마키의
'세탁소'는
조사해봤잖나!
나도 놈에 대해
찾아봤다.

로카카카로
내는 이익이 세간의
눈에 띄지 않게 극히
소수의 부유층에게만
팔면서 독점
해왔어.

'로카카카'의
정보 유출과 이를
둘러싼 경쟁을
위험하다
여긴 거야…
그 때문에
동료도 매우
극소수였어…

ㄱㄱㄱㄱ ㄱㄱㄱㄱㄱㄱ

가까이서
잘 보세요.
좀더 밝게
할 테니까요.

노리스케
씨, 화면이
어두워서
아직 모르시
겠어요?

이건
'바위
인간'이
아니에요.

'죠빈 씨'와 '다모 타마키'는 협력 관계고요.

'로카카카'의 반입 루트는 히가시카타 프루트 팔러의 배편이에요.

숲속 어딘가에 있는 '가지'를 찾고 있어요.

죠빈 씨는 '로카카카'의 가지와 '접목'에 관해 알고 있고…

람보르기니의 드라이브 레코더에서 나온 증거도 있죠. 아마 수익의 자금 세탁을 맡았을 거예요. 노리스케 씨의 프루트 팔러가 '로카카카'의 국내 반입을 '돕고' 있었단 말입니다.

죠빈 씨는 '로카카카'의 매매에 협력하고 있었어요.

'적'이나 '아군' 같은 게 아니라 "사업 동료"요.

뭐라고!!

만약 시들지 않았다면 또다시 '로카카카'의 과실이 맺힐 테죠.

하지만 전 아직 '가지'가 살아 있다는 게 느껴져요.

전 그 특별한 '등가교환'이 필요해요.

전 그 '가지'를 반드시 찾아낼 겁니다!

제 몸에 일어난 것과 같은 '등가교환'이… 딱 한 번만 더, 홀리 씨를 위해 어떻게든 필요해요.

상대가 누구든 결코 '가지'를 넘겨줄 수 없어요!

그걸 방해하는 사람은 용서 못 합니다.

그걸 찾아도 되는 건 오직 '저'뿐이에요.

우웃…

우우…

우…

제 목숨의 은인이고, 이 집의 가장이며, 선한 인격자로서… 존경하고 있어요.

그래서 이렇게 노리스케 씨에게 선언해둬야겠다 싶었죠.

노리스케 씨에겐 진심으로 감사하고 있어요.

봐라!

이 사진은 '루비 로망'이라는 포도 품종인데, 지난 가을 우리 히가시카타 프루트 팔러에서 '베르사이유'라고 명명했다.

무려 한 송이에 66만 엔이라는 가격이 매겨졌지.

이건 '지로'라는 '매실장아찌'인데, 단 한 알에 2만 엔이다.

매년 5월이 되자마자 순식간에 매진되지.

1통에 8개입, 15통 한정 판매.

모두 특별한 과일이기 때문이야.

이것들을 재배할 수 있는 사람이 있어.

이 과실은 "성장과 승리"의 상징이다.

'맛' '향기' '크기' '수분량' '행복감'.

회사의 다른 사람들은 물론 후계자인 "죠빈"에게조차 말한 적 없다… 믿을 만한 사람이야.

모처에 사는데…

"그 인물"은 사업 기밀로 제4대 점주인 나밖에 몰라.

'가지'를 분간해달라고 해라.

'벽의 눈'의 융기로 숲과 뒤섞인…

이 사람밖에 없어!

즈웅

이 사람을 만나러 가봐라.

"접목"시킨 "가지"를 분간하는 기술을 가진 "식물감정인" 이야.

스윽

꽈악!

절대 '죠빈'이
알아차리지
못하게 해라.

우리 장남의
행동이 나로서는
아직 의심스러운
수준이지만…

ゴゴ
ッッ
!

확실히
그 '가지'는
죠스케…
네 거다.

"등가교환"
에는…

'올바른 길'이
필요해.

흔들…

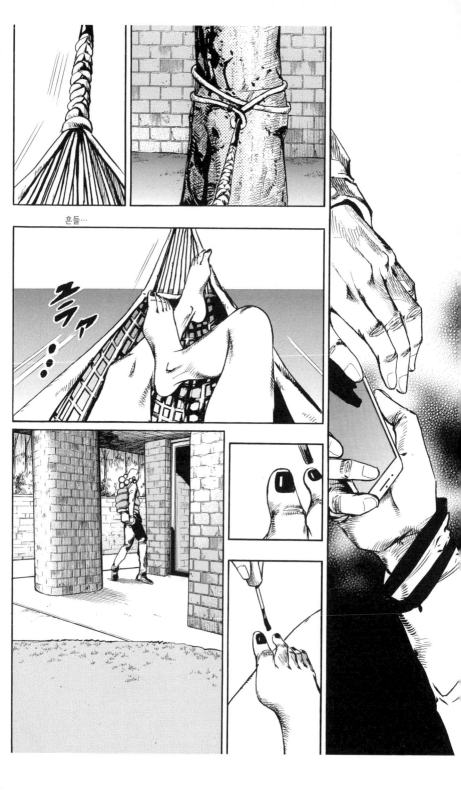

핵!!

당신——!
내 집 안마당에서
뭐하는 거야
——?!!!

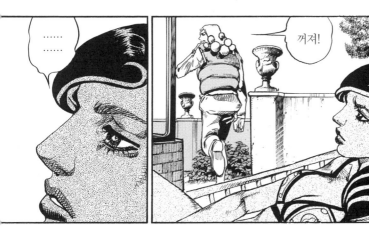

'죠스케'가?
……

'아버지'랑

'뭘'
하려는 거지?

쿡쿡

……
……

'누구'랑
만나는 거
아니려나아
~~~?

… 고마
어머니. 워요…

핸드폰
이란 건
그걸 위한
거니까.

타악

후두둑

고고고고

부우우우웅

타앙

개굴개굴 개굴개굴

개굴개굴 개굴개굴 개굴개굴

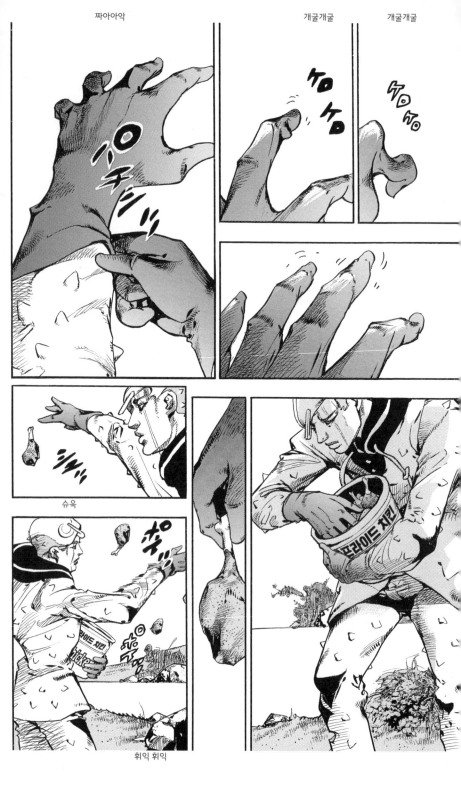

후두둑후두둑 후두둑

루——
루루루루
루루루루

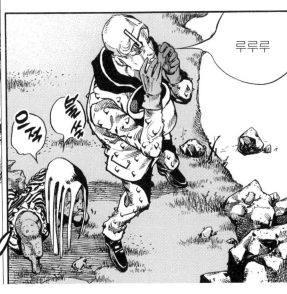

루루루

흠치이잇

파앗!!

우오옷!

우웃!

크

우우
....웃

줄게.

자…
자고 있었나
…?

전부.

여…
여어…

"부탁"이
있어.

그래서
말인데…

지금의 생활을
즐기고 있는
당신에게 아무런
상관도 없는
일인 줄은 알고
있지만…

프라이드 치킨

와작와작 와작

두우우~웅

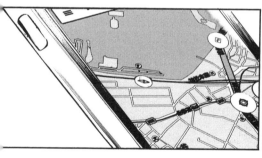

여기요.

형이

저기요-

'히가시카타
죠스케' 씨
세요…?

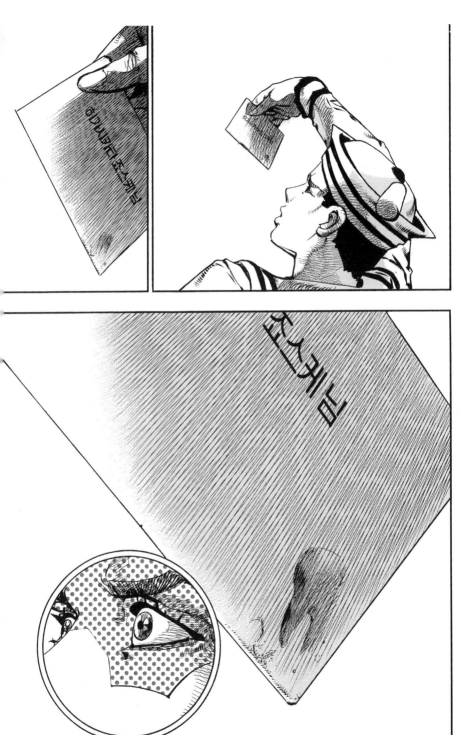

우우!!

우오옷!!

'푸른
산호초'.

……
……

그곳에
갈 수 있다면
얼마나
좋을까…

내 꿈이야…

조난당해서…
자기랑 단둘이
부서진 배의
파편을 붙들고
표류한 끝에 도착
하는 거야.

물속에 들어가
물고기를 잡고…
야자열매도
쪼개서 먹고,
나무 위에
집도 짓고…

단지…
그것뿐
인데도
현실적이지
않다고들
하지…

뿌지

벌떡

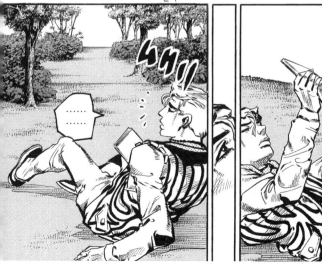

……
……

그쪽은
위험해———!
가면 안 돼
애애애
——애앳!!

두웅

이 연못도 가물지 않고
큰 변화없이… 지진 뒤에도
똑같은 모습을 유지하고 있지…

전에도 말했다시피 그 친구들이 하고 있던 로카카카를 이용한 돈벌이나 자금 세탁…

…사회에서의 존재 의의 같은 건 나로선 전혀 의미 없는 일이야.

다모 타마키네가 더이상 이 세상에 없다는 건 정말 아쉬운 일이야…

하지마안 …

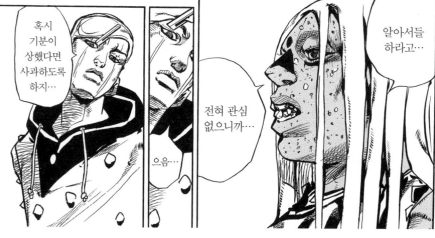

혹시 기분이 상했다면 사과하도록 하지…

으음…

전혀 관심 없으니까…

알아서들 하라고…

부디
화내지 말고
들어줬으면
좋겠군.

당신은
등가교환을 할
몸을 잃었기 때문에…
관심 없는 것뿐
아닌가?

그건
바로 이
'두 사람'이
"등가교환"
으로…

이렇게
되었다는
사실이지.

관심이
생기지
않으려나?

그
로카카카의
'등가교환'
말인데…

'등가교환'의…
"다음 단계"를
손에
넣을 수
있다면…

틀림없는 사실이야… 다모 타마키 일당은 이것 때문에 죽었어.

이 '로카카카'를 손에 넣으려다…

고고고 고고고

이름―돌로미테

나 혼자만의 힘으로는 안 될 것 같거든…

당신의 '능력'이 필요해…

비틀

비틀

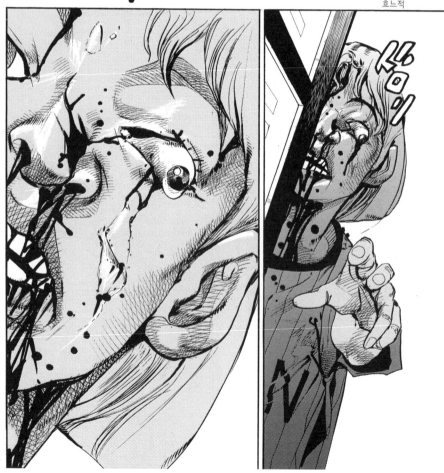

타앙 타앙!

타앙   타앙

콰지이이익

타앙!

타앙!

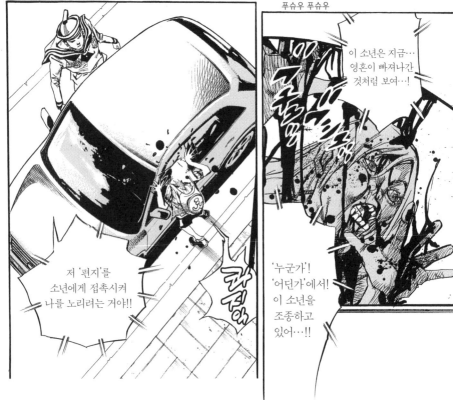

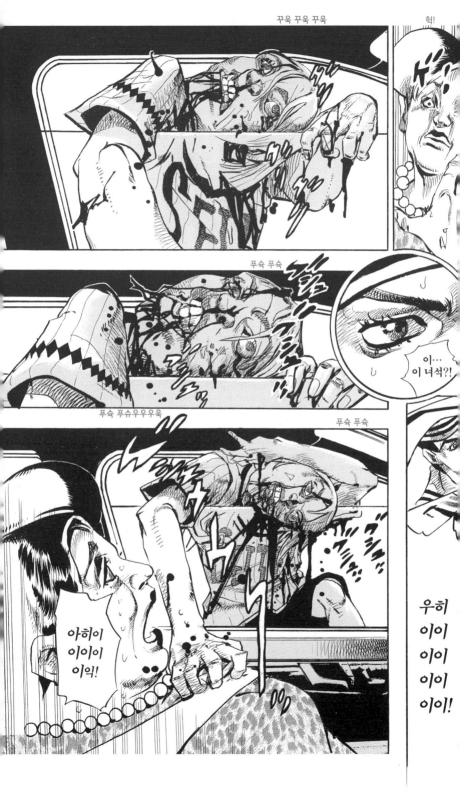

두우-웅

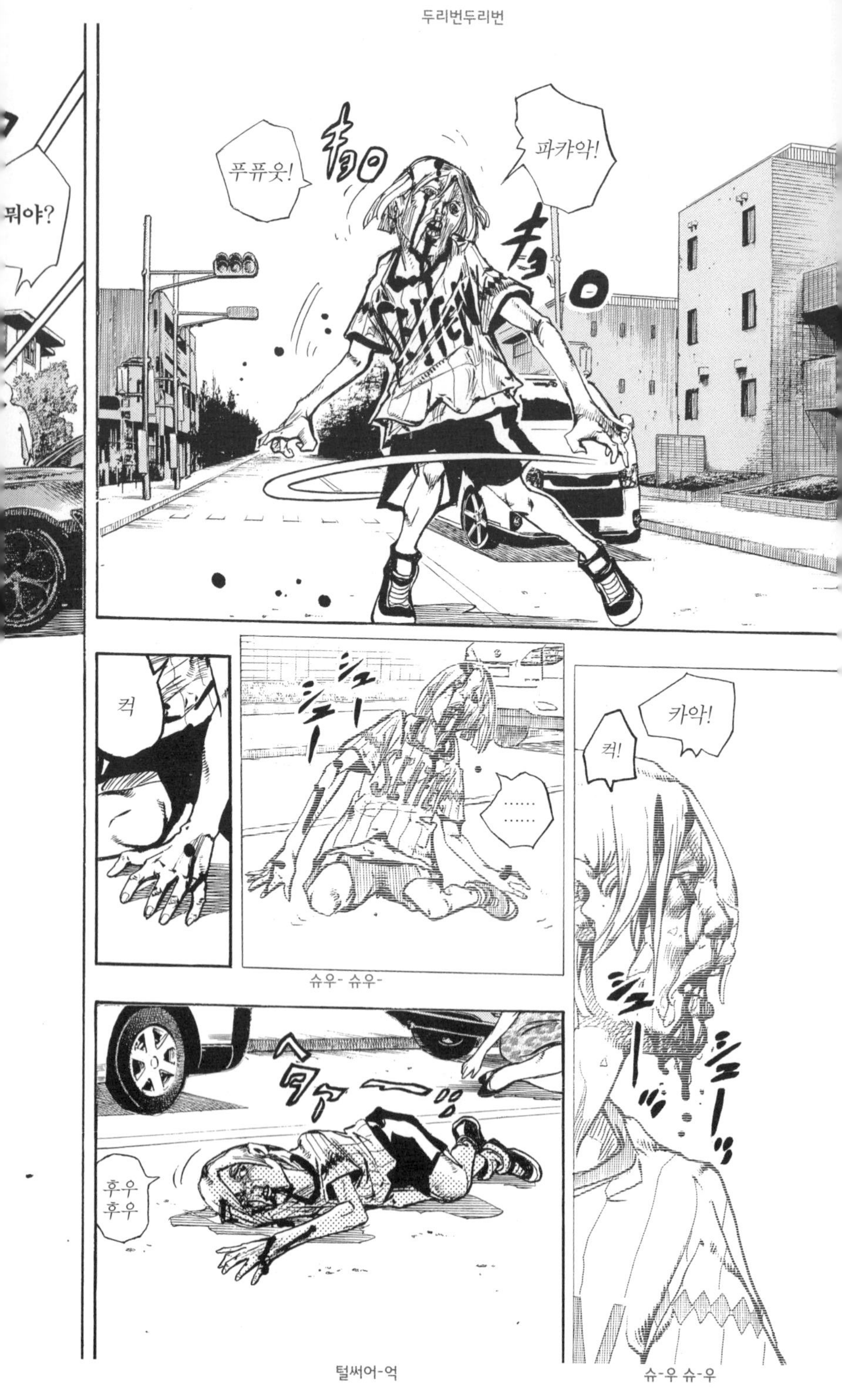

두리번두리번
뭐야?
파캬악!
푸퓨웃!
컥
……
……
슈우- 슈우-
카악!
컥!
후우
후우
털써어-억
슈-우 슈-우

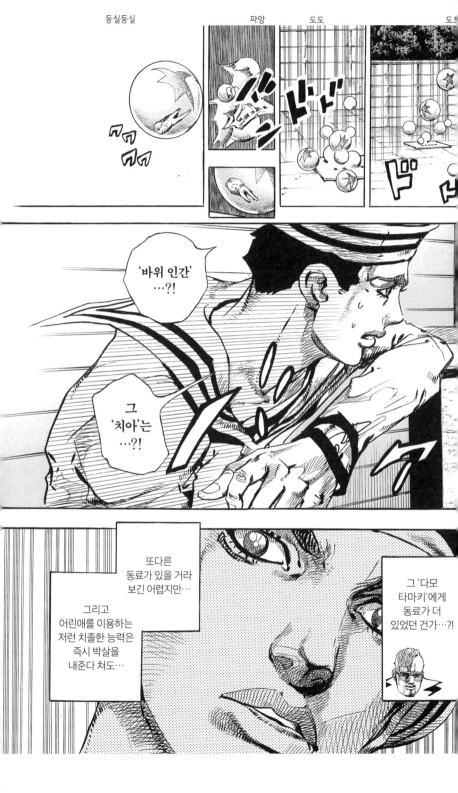

돌로미테(도로코마 마사지)
−바위 인간−

고압 전선에 접촉,
감전 사고를 당한 뒤
무츠카베신사의
연못에서 살고 있다.

스탠드 명 —— **블루 하와이**

그 '체액'과 접촉한 사람은 어떤 것에도
개의치 않고 쭉 직선으로 나아가게 된다.
그 진행 방향은 '표적'을 향하며,
이번 '표적'은 히가시카타 죠스케다.

#061
돌로미테의 푸른 산호초 ③

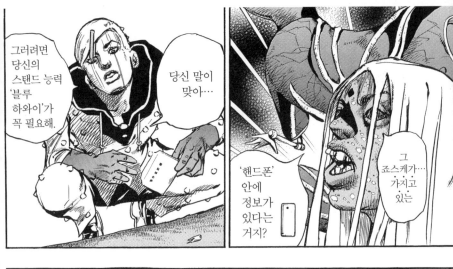

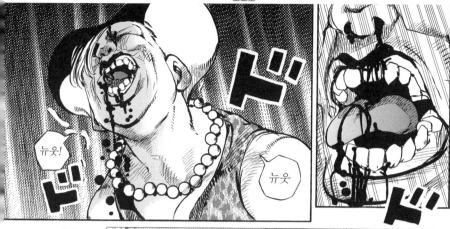

부샤아아
아아앗!

푸읍

오오오오오
오오오오오
오오오오

덥서억!

쿡!

두우-웅

우지끄으은-!

퓨욱 퓨욱　　　콰지이이익

투둑 투두둑

덥서어억

앗!

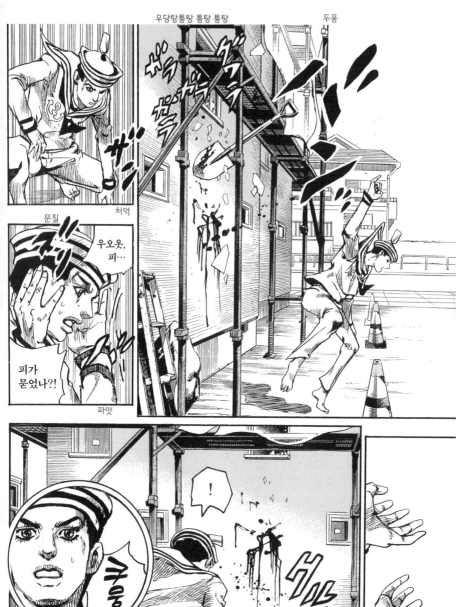

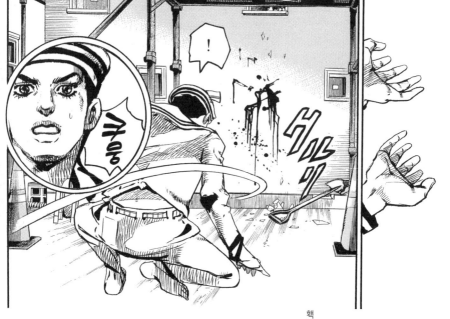

우지끄으은

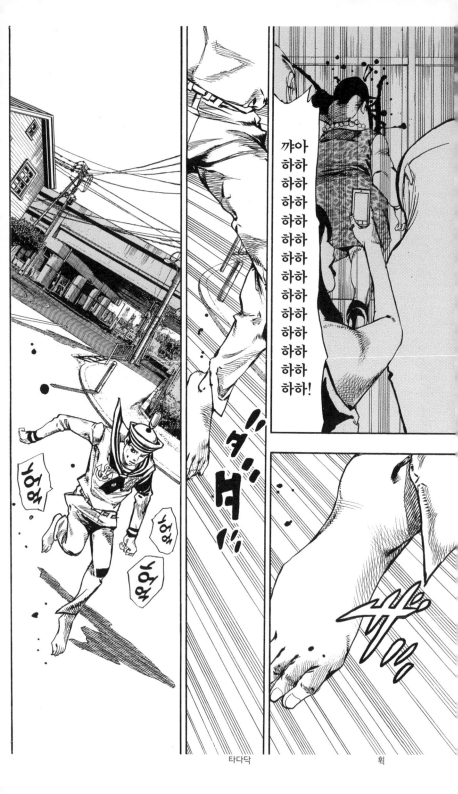

허억

허억

허억

허억

허가시카타가

전화 걸기

노리스케 씨와
이야기하고
있었을 때…
……그때
히가시카타
저택에
있었던 건…
분명…

어째서…

분명 나와
노리스케 씨밖에
모를 터인
'식물감정인'의
존재를 들킨
걸까?

내가
지금부터
만나려
한다는 걸…

이
'적'에게
…?!

거기 덤불 속에 사람의 '치아'가 "하나" 떨어져 있을 거야.

지금 당장 류소지 버스 정류장으로 가줘.

S시 방향 버스 정류장 이야…

그 '치아'가 누구의 것 인지…?

야스호짱의 페이즐리 파크의 '능력'으로 알아내주면 좋겠어!!

네 스탠드로 의료 정보 같은 것에 접속해서!!

치아의 치료흔治療痕! 엑스레이 사진이든 뭐든 좋아! 찾아봐줘.

그 '치아'는 내 '비눗방울'로 감싸여 있어서 바로 알아볼 수 있어…

하지만 절대 그 '치아'와 접촉해서는 안 돼… 그냥 눈으로 보기만 해!

그럼 다시 걸게!

그 녀석이 '적'의 '본체'야… 찾고 싶어!!

달칵

몰라도 돼.

야스호오?!
어디
가니—?

류소지
버스
정류장.

타앗

탁탁탁

좀 기다려 봐아~

야... 화난 거야?

비틀비틀 비틀

기다려 보래도~

잠깐마안, 나미짜앙~! 내 얘기 듣고 있는 거야아~?

야~?

내가 뭐 싫은 소리라도 했어어~?

어디 가는 데에~

비틀... 흐느적...

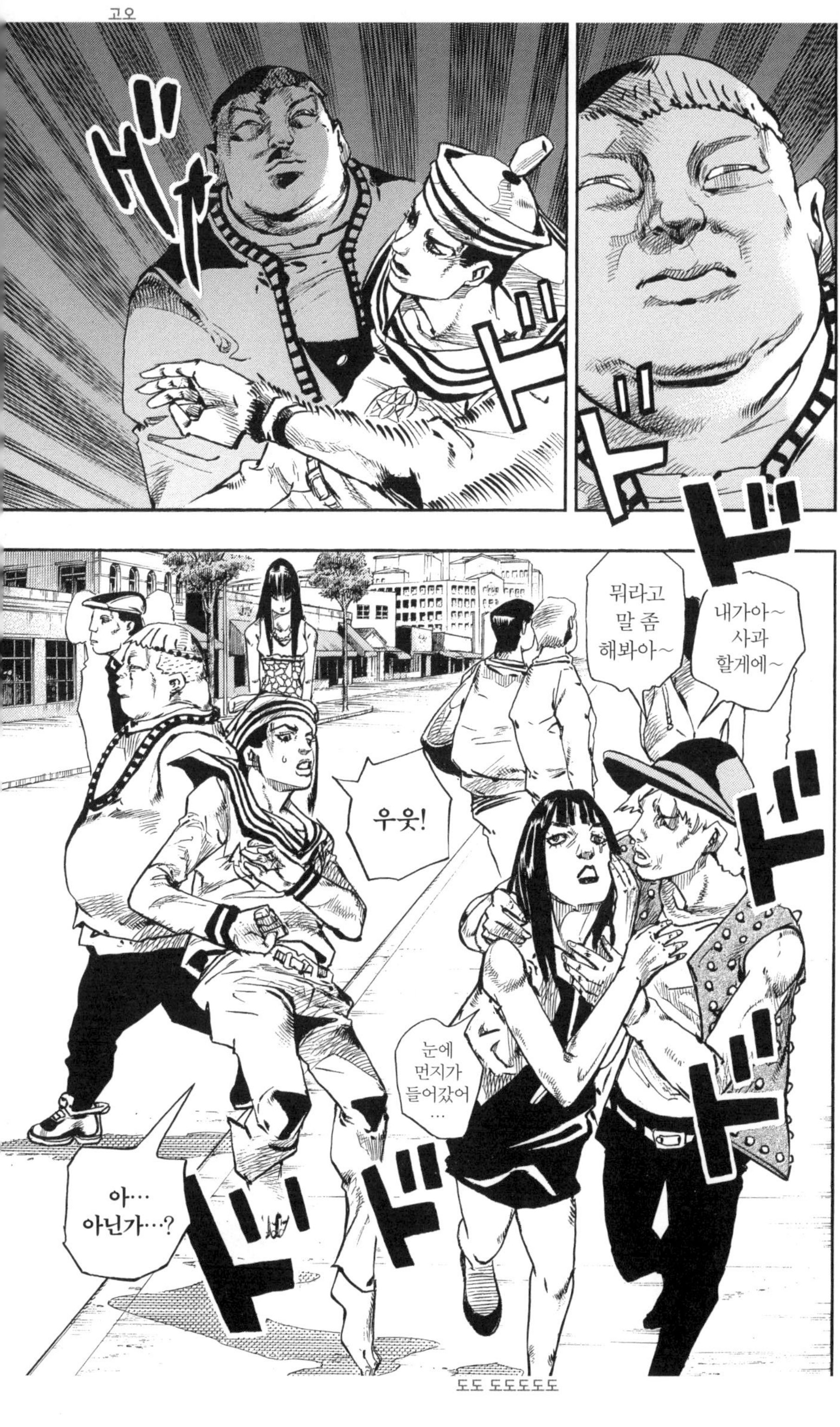
고오
뭐라고 말 좀 해봐아~
내가아~ 사과 할게에~
우웃!
눈에 먼지가 들어갔어…
아… 아닌가…?
도도 도도도도도

난 버스나
택시 같은
교통수단을
타고…

아차,
위…
위험해!

우웃

우웃

이 '식물감정인'
에게 가면서…
연락을 하려고
했는데…

이 모리오역 근처로 와버린 건 오히려… 잘못된 선택이었는지도 몰라…!!

날 쫓아 오는 게 누구며…

도도도

알 수 없게 돼버렸어!!

어떤 모습 인지?!

도도

스윽

제…

제길!

이 능력은
직선적으로
"오고 있어"…

이 녀석…
지금까지
이 사회의
어떤 곳에서!
어떤 생활을 하던
녀석이지?!

이 적!! 일단
바위 인간
이라 치고…

이
'스탠드유저'
본체!!

샤악!!

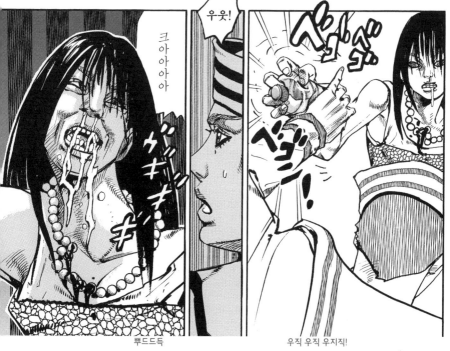

크아아아아

우읏!

뿌드드득

우직 우직 우지직!

퍼억!!

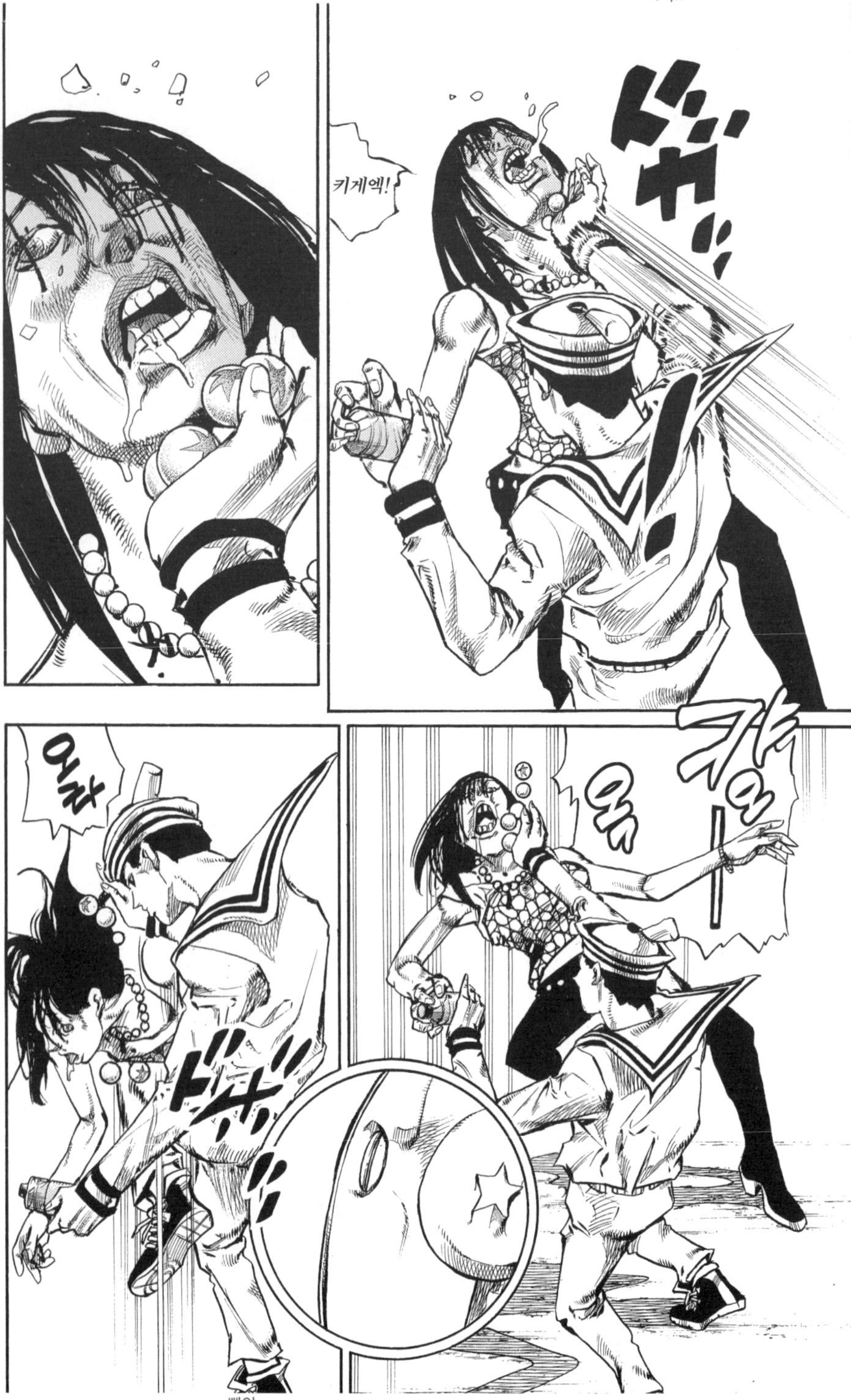

빠악

도도도도

타-아앗

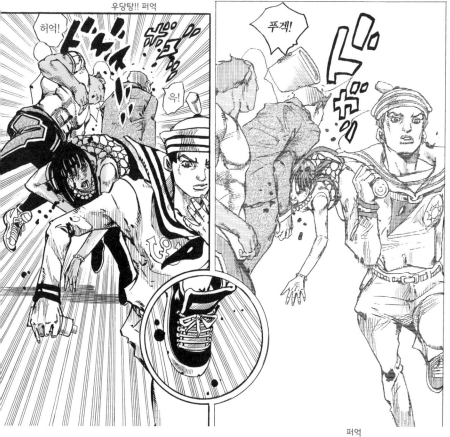

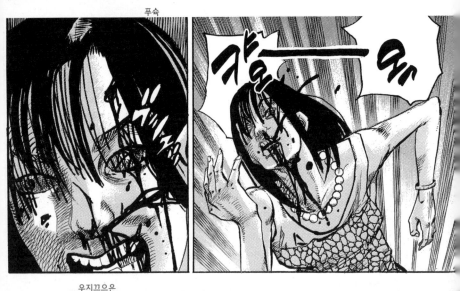

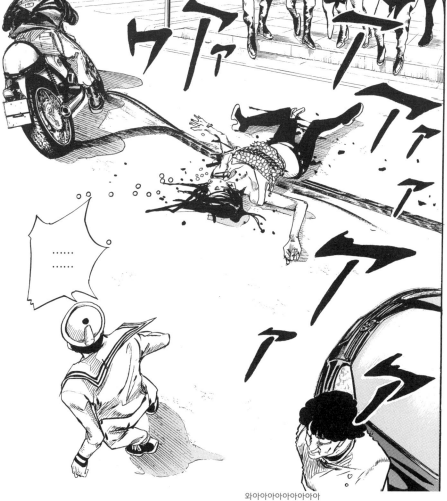

와아아아아아아아아아

도도도

타앗!

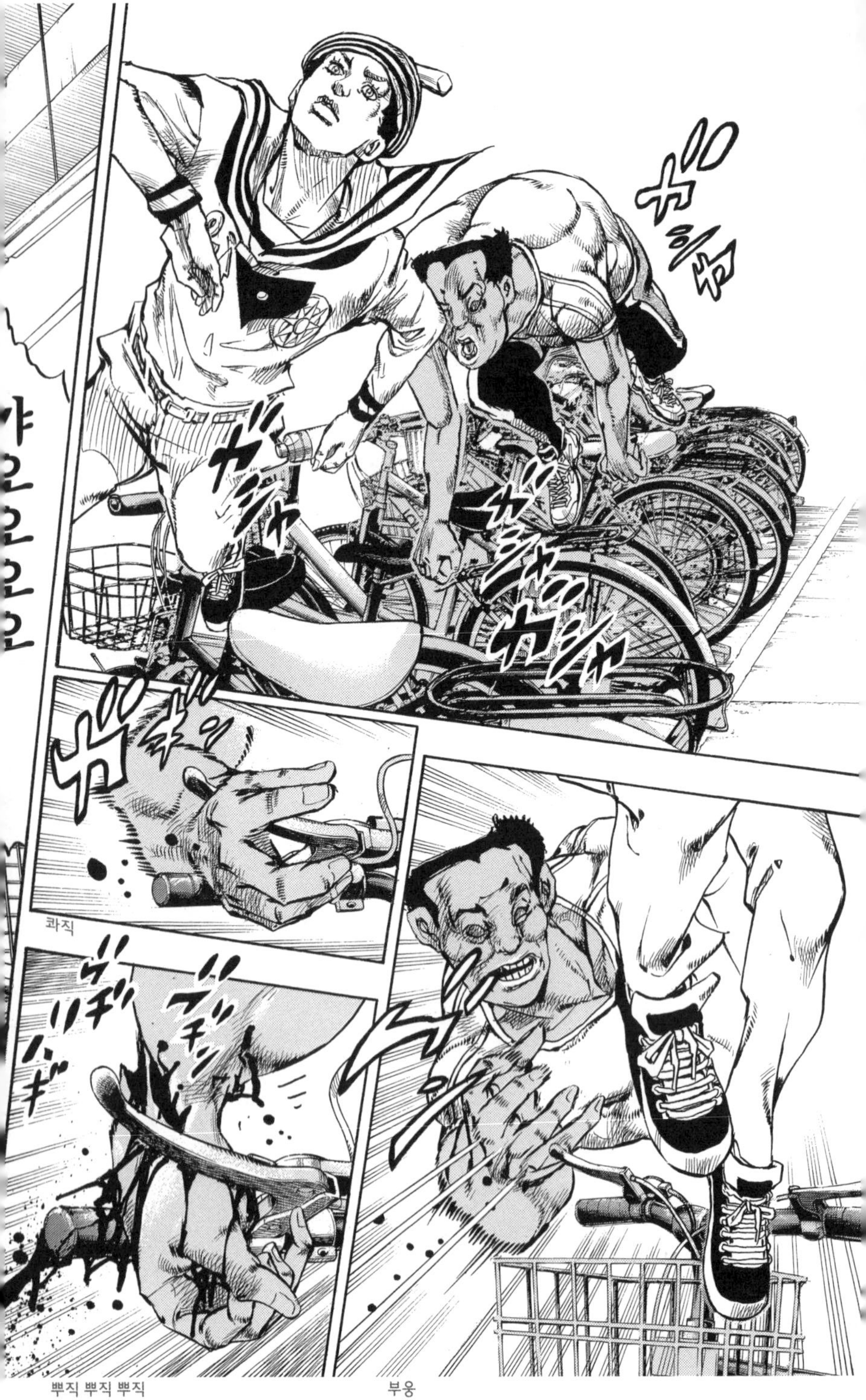

철컹 철컹철컹 철컹
야오오오오
콰직
뿌직 뿌직 뿌직
부웅

뿌직 뿌직 뿌직

촤아아아아아아악

파-앗

쌔푸욱

부글 부글부글

꿀럭

꿀럭

콜록

크흑!

파앙 파앙 파앙 파앙

좌아아아아악

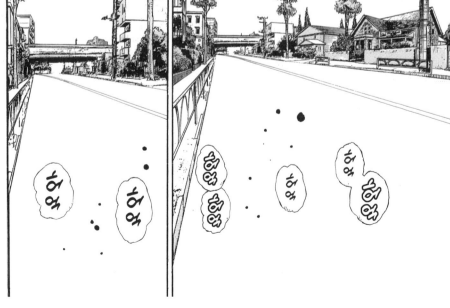

어디서
오려나…?
조…조만간
따라잡힐
거야…

난 록온
당했어.

부…분명
또 올 거야…

하지만
'어떤 녀석'
인지?
이 녀석의
인물상조차
상상이
안 돼!

이대론
식물감정인에게
갈 수도 없고,
노리스케
씨에게
연락하는
것조차
위험해.

며칠이고
계속될
거야…

"사정
거리"도
아마 무한
하겠지…

야…
야스호쨩…
단서만
이라도
찾아내줘!

'본체'야.

이 '능력'을 이길
방법은 역시
'본체'를 찾아내는
것밖에 없어…

고고 고고 고고

2007년 12월 4일과 2008년 1월 25일에 모리오초 무츠카베자카의 초등학교 교정에서 학생들이 기르던 사육장의 토끼 열다섯 마리가…

누군가에 의해 물려 죽은 뒤 잡아먹혔다고 적혀 있어.

…'동물'이 아닌 '인간'에게…

치아 사진이야. 하지만 이건 누군가에 의해 조사당한 자료… 대체 누가 한 거지?

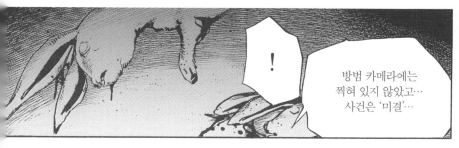

방범 카메라에는
찍혀 있지 않았고…
사건은 '미결'…

!

이건 S시
경찰서의
사건 자료야…

페이즐리
파크가
수사 자료에
접속했어…

이름과
얼굴
사진이
있네.

경찰은 이때…
고기 조각에
남아 있던
'치아의 형태'와
'DNA'로 용의자를
특정했어!

2010년
10월에도
모리오초
무츠카베자카
근처 농가에서

누군가가
닭 스물다섯
마리를 잡아먹고
고기를 훔쳐가는
사건이 일어났어.

고고 고고고

고고고고고

비눗방울 안에 든 '치아'와 일치해.

이름은 "도로코마 마사지". 현재 (39)세.

하지만 경찰은 이 용의자도 아직 체포하지 못했어.

사건은 미해결.

이 녀석 이야…

어라 …?

이 녀석이 '지금' 죠스케를 습격하고 있어…!!

뭐…뭐야?! 이 존재는 대체?

지금… 어디 살고 있는 걸까?

이, 이 녀석 …

뭔가…

…
…
…

'묻어 있어'.

비눗 방울에…

출혈과 함께 이 치아가 빠졌을 때… 분명 "땅"에 떨어졌어…

비눗방울에 감싸여 있었으니 이 버스 정류장 근처는 아냐…

치아에 '흙'이 묻어 있어.

"치아"에 뭔가 '묻어 있어'…

입에서 빠졌을 때 혈액이 '굳은' …거라기 보다도…

이건 '흙'이야… 지면의 '흙'.

그 지면의 흙이야!

ゴゴゴ ゴゴゴゴゴゴゴ

'치아'와 접촉하면
안 됐다지만,
이 흙을 조사해서 토질이
일치하는 곳을 찾으면
그게 곧 '적'이
있는 곳일 거야!

…죠스케에게
힌트를
가르쳐줄 수
있겠어!

그 '땅'이
'본체'가 있는
곳이야…

적의
위치를 알 수
있게 됐어.

?!

아아아?!
뭐지?!

우…

뜨…
'뜨거워'…

아
?!

아아
?!

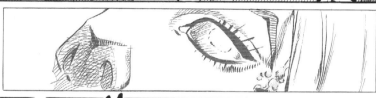

15 돌로미테의 푸른 산호초 마침

조사를 부탁했던
야스호는 의식 불명.

접촉한 이를 모조리
좀비로 만드는 '스탠드'로부터
죠스케는 필사적으로
도망치지만…

과연,
죠스케는 무사히
식물감정인과
만날 수 있을까?

죠죠레온 Jojo's bizarre adventure *Part8* **16~20권**

2023년 하반기 동시 출간 예정!

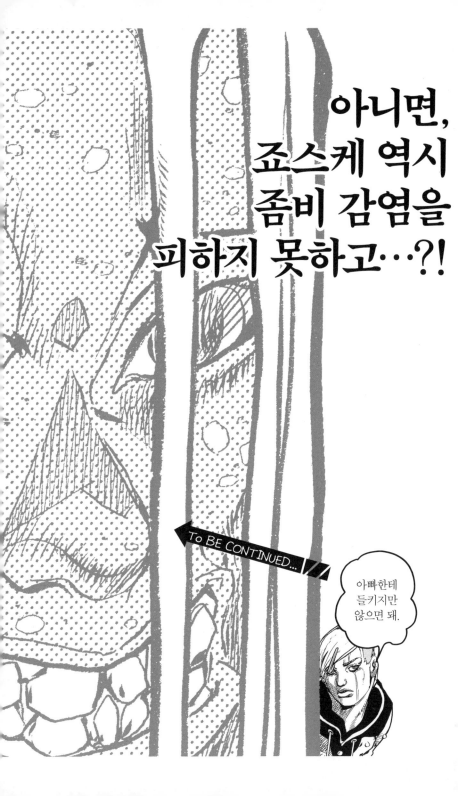

죠죠의 기묘한 모험 (1~5부) 전63권

『죠죠의 기묘한 모험』1~5부.
1987년부터 연재중! 1억 부의 누적 발행부수! '스탠드' 개념을 도입해
능력배틀물의 원조가 되었고, 단순한 힘겨루기에 그쳤던 종전 만화에 두뇌싸움과
트릭 등 다양한 요소를 도입해 소년만화의 새로운 지평을 연 전설의 만화!

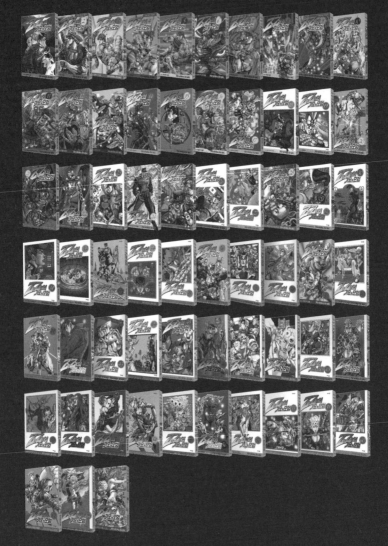

스톤 오션 (6부) 전17권

『죠죠의 기묘한 모험』 6부.
남자친구와 드라이브 도중 교통사고에 휘말린 쿠죠 죠린은
누군가의 모함으로 징역 15년 형이 확정되고 만다.
한편 아버지 쿠죠 죠타로가 맡긴 불가사의한 펜던트에 손을 찔리자
죠린에게 알 수 없는 변화가 일어나기 시작하는데…!

스틸 볼 런 (7부) 전24권

『죠죠의 기묘한 모험』 7부.
때는 1890년, 미국에서 세기의 레이스 'SBR'이 개최된다.
총 거리 약 6,000km에 이르는 인류 역사상 첫 북미대륙 횡단 승마 레이스!
불행한 사고로 하반신이 마비된 천재 기수 죠니 죠스타와
회전하는 철구를 무기로 가진 의문의 사나이, 자이로 체펠리.
우승상금 5천만 달러를 목표로, 뜨거운 모험가들의 싸움이 지금 시작된다!

옮긴이 **김동욱**

홍익대학교 출신. 게임 및 IT 기술 번역으로 2000년대 초 번역과 연을 맺었다.
이후 애니메이터 등 다방면으로 서브컬처 업계에 종사하다가 출판번역에 입문하여
현재는 전업 번역가로 활동하고 있다. 옮긴 책으로는 『스톤 오션』『스틸 볼 런』 등이 있다.

죠죠의 기묘한 모험 Part 8

죠죠리온
제15권 돌로미테의 푸른 산호초

초판인쇄	2023년 6월 16일
초판발행	2023년 6월 23일
지은이	아라키 히로히코
옮긴이	김동욱
책임편집	조시은
편집	김지애 이보은 김지아 김해인
디자인	백주영
마케팅	정민호 김도윤 한민아 이민경 안남영 김수현 왕지경 황승현 김혜원
브랜딩	함유지 함근아 박민재 김희숙 고보미 정승민
제작	강신은 김동욱 임현식
원화수정	윤정아
펴낸곳	㈜문학동네
펴낸이	김소영
출판등록	1993년 10월 22일 제2003-000045호
주소	10881 경기도 파주시 회동길 210
전자우편	comics@munhak.com
대표전화	031-955-8888 | 팩스 031-955-8855
문의전화	031-955-3576(마케팅) | 031-955-2677(편집)
ISBN	978-89-546-9278-6 07830
	978-89-546-8211-4 (세트)
인스타그램	@mundongcomics
트위터	@mundongcomics
페이스북	facebook.com/mundongcomics
카페	cafe.naver.com/mundongcomics
북클럽문학동네	bookclubmunhak.com

www.munhak.com